Siúlóid Bhreá!

Mary Arrigan
a scríobh agus a mhaisigh

Feiliúnach do pháistí ó 6 go 9 mbliana

An Gúm
Baile Átha Cliath

Tá Daideo agus Mamó ag crochadh éadaí ar an líne. Tá Rex ag cur cnámh dá chuid i bpoll sa talamh.

'Imígí libh ag siúl, tú féin agus Rex!' arsa Dóirín.

'Ceart go leor,' arsa Daideo. 'Seo linn, a Rex. Téimis go dtí an pháirc mhór.'

‘Suigh síos agus bí go maith, a Rex,’ arsa Daideo. ‘Bain taitneamh as an turas ar an mbus.’

‘Gabh mo leithscéal,’ arsa Bean Uí Mhurchú. ‘Tá do mhadra . . .’

‘Sea, a bhean uasal,’ arsa Daideo, ‘is madra an-mhaith é, an-mhaith ar fad. Maith an madra, a Rex.’

‘Seo í an pháirc, a Rex,’ arsa Daideo. ‘Tá mé chun an iall a bhaint díot. Anois tá tú saor. Ar aghaidh leat.’

‘Rrruff!’ arsa Rex.

‘Hóigh!’ a bhéiceann an fear oibre, ‘fan amach ó mo charn duilleog.’

‘Is iontach an obair atá déanta agat,’ arsa Daideo. ‘Tá an pháirc go deas néata.’

'Féach na lachain dheasa, a Rex,' arsa Daideo. 'Nach álainn iad agus iad ag snámh ar an lochán!'

'Rrruff!' arsa Rex.

'Vác, vác,' a scréachann na lachain.

Tá picnic ag Seán agus Neilí de Brún.

'A thuilleadh tae, a chroí?' arsa Neilí.

'Ba bhreá liom fanacht libh,' arsa Daideo. 'Ach ní féidir liom moill a dhéanamh. Táimid ag dul ag siúl, mé féin agus Rex.'

'Eaaaaaaaaach! An madra sin!' a bhéiceann Seán.

'Sea, sin Rex,' arsa Daideo. 'Nach maith an madra é! Téanam ort, a Rex.'

Tá Jimí agus a chairde ag imirt peile. Tá spórt an domhain acu.

'Togha fir, a Jimí!' a deir na buachaillí.

'Rrruff!' arsa Rex. Is maith le Rex a bheith ag imirt le liathróid.

'Fissss,' an fhuaim a thagann as an liathróid.

'Hóigh,' a bhéiceann Jimí, 'ár liathróid!'

'Nach breá an rud é bheith ag imirt peile!' arsa Daideo. 'Seo linn anois, a Rex.'

Tá a cat leisciúil á iompar ag Bean Uí Dhufaigh go dtí an tréidlia.

'Mo phuisín bocht!' ar sise. 'Caitheann sé an lá ina chodladh. B'fhéidir gur tinn atá sé.'

'Rrruff!' arsa Rex.

'Mí-eamha!' arsa an cat.

'Mo chuid gruaige!' arsa Bean Uí Dhufaigh.

'Níl am agam a bheith ag caint leat mar gheall ar do ghruaig, a bhean uasal,' arsa Daideo. 'Táimid ar shiúlóid bheag, mé féin agus Rex.'

'Dia dhuit, a Pheadair,' arsa Daideo. 'Mmmmmm. Tá boladh deas ó na sceallóga sin.'

'Sea, tá siad go blasta,' arsa Peadar.

'Hóigh! An madra sin!'

'Sin Rex,' arsa Daideo. 'Táimid ag siúl sa pháirc. Téanam ort, a Rex. Maith an madra.'

'Tá ocras orm,' arsa Daideo. 'Faighimis rud éigin le hithe, a Rex.'
Tá Micí de Faoite an-ghnóthach ag díol sceallóg agus ispíní.

'Mmmmmmm. Sceallóga dom féin,' arsa Daideo, 'agus ispín mór do Rex.'

'Hóigh! M'ispíní!' a bhéiceann Micí.

'Sea, tá siad an-bhlasta ar fad,' arsa Daideo. 'Seo duit, a Rex. Ispín duit.'

Gadaí amach is amach is ea an fear ar an rothar.

'Mo mhála!' a screadann Bean Uí Ruairc.

'Há-há!' arsa an gadaí.

Ach ní fheiceann sé Rex agus na hispíní.

Crais!! Leagtar an rothar.

'Úúúúúúú!!' arsa an gadaí.

'Há-há!' arsa Bean Uí Ruairc.

'Tá sé in am dul abhaile,' arsa Daideo leis féin. 'Tá mo dhóthain siúlta agam.'
Ansin glaonn sé ar an madra.

'Tar anseo, a Rex. Tar anseo, a pheata, go gcuirfidh mé do choiléar álainn nua ort arís. Maith an madra! Agus anois an iall. Sin é é. Anois tá tú ag breathnú go hálainn! Is tú an madra is galánta in Éirinn.'

GARDA
SIOPA

Tá sé in am lóin ag an maor agus ag a lucht oibre. Tá Lomán ar a bhealach go dtí an bothán le trí *phizza* bhlasta.

'Dia duit, a Lomáin,' arsa Daideo. 'Nach bhfuil Rex gleoite ina iall agus a choiléar nua?'

'Eaaaaaaaaaaach!' arsa Lomán. 'Mo thrí *phizza* bhreátha!!!'

'Is breá iad, tá mé cinnte,' arsa Daideo, 'ach níl am againn breathnú orthu. Tá deifir orainn. Táimid díreach in am don bhus. Téanam ort, a Rex.'

PIZZA

Tá tuirse ar Dhaideo agus ar Rex tar éis na siúlóide sa pháirc.

'Fan amach uaim, a mhadra!' arsa Pádraig Ó Broin.

'Agus uaimse freisin!' arsa Bean Uí Mhathúna.

'Amadán amach is amach is ea an madra sin,' arsa Páidí Ó Súilleabháin.

'Zzzzzzzzzzzzz,' arsa Daideo agus Rex.

'Táimid ar ais,' arsa Daideo.

'An raibh siúlóid dheas agat, a chroí?' arsa Dóirín.

'Bhí siúlóid bhreá againn,' arsa Daideo. 'Siúlóid an-bhreá. Nach raibh, a Rex?'

'Rrruff!' arsa Rex.